JN065506

新型コロナからインフルエンザまで

# 知ってふせごう！身のまわりの感染症

監修：近藤慎太郎（内科医）

## 1 感染症ってなに？

## はじめに

## シリーズ「知ってふせごう! 身のまわりの感染症」について

　「知ってふせごう! 身のまわりの感染症」は、新型コロナウイルス感染症の世界的な流行で特に注目されるようになった「感染症」について、「感染症とはなにか」「感染症をふせぐにはどうしたらよいのか」「感染症にはどんな種類があって、どのような歴史があるのか」を、イラストを多用してわかりやすく説明する全3巻のシリーズです。

　少しでも楽しく読み進められるよう、イラストでは、人間に感染して健康や生命をおびやかす存在である「感染症の病原体」を、悪役キャラクターとして描いています。でも先に種明かしをしてしまうと、病原体はおそろしい存在ではありますが、「人間たちをやっつけてやろう」と考えて感染するわけではありません。病原体となる生物たち(その多くは目に見えない微生物です)が、意思を持っているわけではないからです。

　病原体が人間に感染するのは、たまたま人間の体の中に入り込んだ小さな生物が増殖(増えること)して子孫を残すことができたため、人間の体に入り込む能力のある生物が生き残ってきたからです(その一部が病原体と呼ばれるようになりました)。つまり、「食べ物の豊富な池に魚やカエルが増えた」というのと同じ、「自然の

いろいろな感染症があり、いろいろな病原体がいます。

仕組み」の一つであるということです。

　こうした自然の仕組みがどうなっているのかを解きあかす学問を自然科学といいます。感染症などの病気を治療する医学も自然科学の一つです。わたしたちの健康を病原体から守るには、自然科学としての医学にたよるのが一番です。

　このシリーズでは、医学にもとづいた感染症の基本的な知識を皆さんにお伝えします。知識を得て、もっと興味がわいたら、学校の先生や保護者の方といっしょに、もっとくわしく調べてみてください。感染症をきっかけに、自然の仕組みという、とても大きなものを理解する手がかりがつかめるかもしれません。

## 『①感染症ってなに?』について

　この本『①感染症ってなに?』は、シリーズ「知ってふせごう! 身のまわりの感染症」の第1巻です。

　感染症とはなにか、どんな生物が病原体になるのか、感染症はどのようなうつり方をするのかといった、感染症の基本を説明しています。感染症をふせぐために、基礎となる知識をしっかり身につけてください。

わたしたちといっしょに
感染症を学ぼう

**このシリーズのほかの巻の構成**

**②感染症をふせぐために**

**第1章 感染症と免疫**
1 免疫ってなに？
2 自然免疫チームの細胞たち
3 獲得免疫チームの細胞たち
4 抗体ってなに？

**第2章 ワクチンのことを知っておこう**
1 ワクチンってなに？
2 ワクチンは万能なの？
3 予防接種について知りたい

**第3章 感染症の流行をふせぐ**
1 WHO ってなに？
2 危険な感染症に備える
3 何人がかかっているかチェックする
4 国内に入れさせない
5 それでも流行したときは

**第4章 感染症を予防しよう**
1 感染症をふせぐために大事なこと
2 手を洗おう
3 うがいをしよう

4 マスクをしよう
5 生活と食事に気をつけよう
6 温度と湿度に気をつけよう
7 住まいを清潔にしよう
8 食べ物に気をつけよう
9 まわりの人に感染症をうつさない
10 家族が感染したときは？

**③感染症の種類と歴史**

**第1章 たくさんの感染症がある**
1 子どもがかかりやすい感染症
2 知っておきたい感染症

**第2章 人類と感染症**
1 農業が感染症にかかわっている？
2 貿易が感染症を世界に広げた
3 何度も起こった感染症の大流行
4 病気から差別も生まれた
5 病原体の謎に挑んだ人たち
6 病気を予防するワクチンが誕生
7 抗生物質ってなに？
8 スペインかぜが多くの人の命を奪った
9 人類が新しい感染症をつくり出している？

# 1 病原体が体の中に入り込む

わたしたちのまわりには、顕微鏡で見ないと確認できないぐらいの小さな生物がたくさん生きています。このうちウイルスや細菌など、わたしたちに病気をもたらす小さな生物のことを「病原体」といいます。

病原体は、空気の中をただよっていたり、食器やドアノブ、トイレの便器などの物にくっついていたりします。これがわたしたちの体の中に入り込むと、体の調子が悪くなり、発熱や下痢、せきなどの症状が出ることがあります。こうした病原体が引き起こす病気のことを感染症といいます。みなさんもかぜやインフルエンザにかかったことがあると思いますが、あれも感染症の一つです。また病原体がついた食物を口にしてしまったことで体の調子が悪くなる食中毒も、感染症の一つです。

ただし食中毒の中でも、フグ毒による中毒は感染症ではありません。魚のフグは体の中に毒を持っています。この毒をちゃんととりのぞいてから食べないと、体の中に毒が回って、呼吸困難などを引き起こします。この毒は、いろいろな物質からできているもので、生物ではありません。だからフグ毒による食中毒は、感染症ではありません。あくまでも病原体という小さな生物がもたらす病気のことを感染症といいます。

感染症に気をつけよう!

おかしいと思ったら病院に行くのだ

## 感染症は「生物を病原体とする病気」のこと

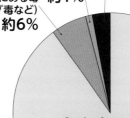

化学物質（薬品など）
約1%

その他・不明
約3%

自然の中にある毒
（フグ毒など）
約6%

食中毒の原因

生物（病原体）
約90%

食中毒の原因をグラフにすると、多くが生物（病原体）による感染症であることがわかります。毒や化学物質による食中毒もおそろしいものですが、感染症はかかりやすいので、特に注意が必要です。

厚生労働省の統計（平成29年）より

## その熱、その腹痛、感染症かも!?

## 身のまわりには見えない生物がたくさんいる

わたしたちのまわりには細菌やウイルスがいっぱい。スマートフォンや携帯電話、勉強道具にもついている！

# 2 いろいろな病原体がいる

わたしたちを感染症という病気にしてしまう病原体は、①ウイルス、②細菌、③真菌、④寄生虫の4種類に分けられます。

このうちウイルスは、病原体の中でも一番小さくて、大きさはだいたい10～300ナノメートルです。1ナノメートルは、1ミリメートルの100万分の1です。ものすごく小さいので、電子顕微鏡という高性能の顕微鏡でないと見ることはできません。ひと口にウイルスといっても、インフルエンザウイルスや風疹ウイルス、新型コロナウイルスなど、いろいろな種類があります。

細菌の大きさは、0.5～5マイクロメートルくらい。1マイクロメートルは、1ミリメートルの1000分の1です。ウイルスと比べれば大きいですが、目では見えず、光学顕微鏡だと観察できます。細菌の中には、コレラ菌や赤痢菌、ペスト菌など、これまでたくさんの人を死に至らしめたものもあります。

真菌とは、カビや酵母、キノコなどのことです。キノコには食べられるものも多いし、酵母はみそやしょうゆなどを作るときに欠かせません。でも真菌の仲間の中には、病気を引き起こすものもあります。

寄生虫は人や動物の体内に入り込み、そこから栄養をとって生きている生物のこと。寄生虫の中にも、体に入り込まれると病気になってしまうものがあります。

**ウイルス**
とても小さな病原体。大きさは100～300ナノメートルほど。

**細菌**
バクテリアともいいます。大きさは0.5～5マイクロメートルほど。

気をつけろ～

# 見えなくても病原体はいる！

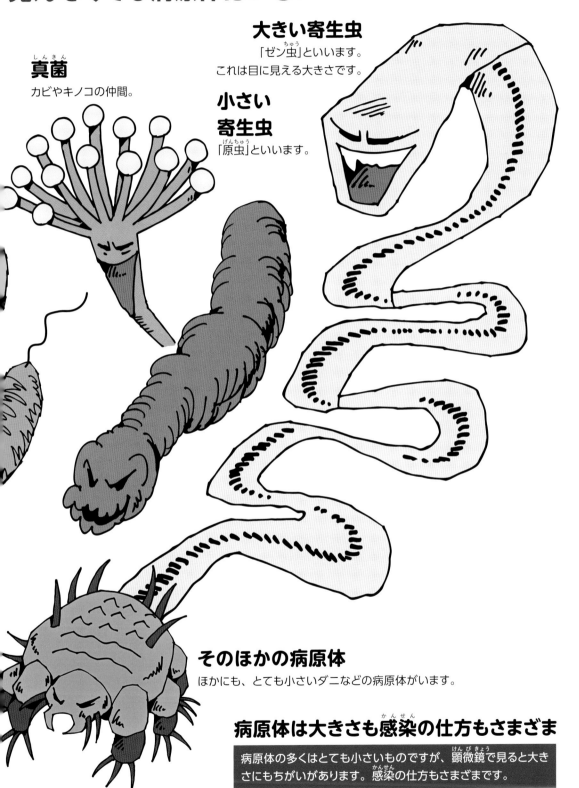

## 大きい寄生虫
「ゼン虫」といいます。
これは目に見える大きさです。

### 真菌
カビやキノコの仲間。

## 小さい
## 寄生虫
「原虫」といいます。

## そのほかの病原体
ほかにも、とても小さいダニなどの病原体がいます。

### 病原体は大きさも感染の仕方もさまざま
病原体の多くはとても小さいものですが、顕微鏡で見ると大きさにもちがいがあります。感染の仕方もさまざまです。

# ③ 病原体はなぜ体の中に入ろうとするの?

病原体は生き物の体の中に入り込むことで増殖します。病原体が入り込む体のことを宿主といいます。

病原体の中でもウイルスは、宿主がいないと増殖することができません。20ページでくわしくお話ししますが、ウイルスは宿主の細胞の中にある核酸(遺伝子)やタンパク質を利用して、自分のコピーをどんどん作ることで数を増やしていきます。

細菌は栄養分や温度などの条件がそろっていれば、食べ物の中などでも増殖はできます。ただし、増殖に一番よいのは37度前後の温度とされています。37度といえば、ちょうど人の体温と同じぐらいです。細菌にとって人の体の中は、宿主にするのにぴったりの場所だといえます。

また真菌は、人の皮ふや口の中などを宿主にして、そこから栄養分を吸収して繁殖していきます。

寄生虫の場合も宿主に寄生し、そこから栄養をとって生きています。寄生虫の中には寄生しても悪さをすることはなく、宿主と共生しているものもあります。その一方で、宿主の体に重い病気を引き起こすものもあります。

## ウイルスや細菌に感染すると……

多くの感染症はこのような経過をたどります。①健康な状態。②体力が落ちたときなどに病原体が入ってきて体の中で増殖する。③感染症の症状が出る。④病院で治療を受ける。⑤体の中の病原体が減る。⑥健康な状態に戻る。

# ウイルスや細菌は
# 細胞の中に入ってくる

## ウイルス

ウイルスは宿主の体を形作っている細胞の中に入り込み、細胞を乗っ取ってしまいます。細胞の中にあるものを材料にして増えていきます。

## 細菌

細菌は細胞の中に入り込んだり、毒素を出して細胞を破壊したりします。ウイルスとちがい、細胞の外でも増えることができます。

毒素

# 病原体は
# 人間の体に
# 住もうとするんだ

## 小さい寄生虫

小さい寄生虫（原虫）の中には血液細胞の赤血球に寄生するものもあります。

## 大きい寄生虫

大きい寄生虫（ゼン虫）は宿主の消化器などに住みついて、いろいろな症状を引き起こします。

# ④ 感染症はなぜこわい?

感染症がこわいのは、1人が感染症になると、まわりの人にもどんどん広がっていく可能性があることです。特に体力が落ちているときなどに、うつりやすくなります。

ヨーロッパでは14世紀にペストという感染症が大流行して、当時のヨーロッパの人口の3分の1にあたる4400万人が亡くなりました。また、今からおよそ100年前の1918年には、「スペインかぜ」と呼ばれるインフルエンザが世界中で流行し、4000万人から1億人が命を落としたとされています。

ただし、やがてワクチンといって感染症を予防するための薬や、抗生物質などの治療薬が開発されたことで、感染症の流行によってたくさんの人が死ぬようなことはなくなりました。1960年代には「感染症は過去の病気だ」と言われるようにまでなりました。

ところが感染症はしたたかでした。薬によって、もうこわい病気ではなくなったと思われていた結核やコレラ、肺炎などの感染症が、ふたたび流行しはじめたからです。これらの病原体は、薬に耐えられるだけの力を身につけたために、薬が効かなくなってしまったのです。

さらに1970年代以降は、新しい病原体が次々と流行するようになりました。2020年に世界中で大流行した新型コロナウイルス感染症もその一つ。人類と感染症との戦いは、今も続いています。

ほかの病気にはない
おそろしさがあるんだ

## 人間の武器は「抵抗力」と「免疫」

人間の体には、病原体に簡単には負けないための武器(力)が備わっています。よくいわれる「抵抗力」は、病気にならずに健康を保ち続けることのできる体の強さを表しており、これをもっと医学的に表現すると、「免疫」という体の仕組みがしっかり働いている状態、ということになります。免疫についてはこのシリーズの第2巻でくわしく説明しています。

# さまざまな病原体が人間をねらっている

体力が落ちたときなど
気づかないうちに
感染してしまう

病原体によっては
感染すると
広がってしまう

新しい病原体が
次から次へと
生まれてくる

「疲れたな」と思ったときは
注意しなければなりません。

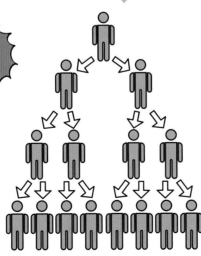

1人から2人へ、2人から4人へ……と、
ものすごい勢いで広がる感染症もあり
ます。

それまでの薬が効かないウイル
スや細菌がしばしば現れるのが
特におそろしいところです。

# 5 発症しないこともある

## この人は発症

病原体に感染しても、必ず症状が出るわけではありません。本人はいつもと同じように元気だけれども、「検査をしてみたら、感染症になっていることがわかった」ということもあります。感染しても症状が出ないことを、「不顕性感染」といいます。

感染症の中には、感染したときに発症しやすいものと発症しにくいものがあります。たとえばはしか(麻疹)は、感染すると95%以上の人が発症します。反対に日本脳炎という病気は0.1%、つまり1000人に1人しか発症しません。

また人によっても、感染しやすい人と感染しにくい人がいます。感染しにくいのは、体力があって健康な人です。感染しやすいのは小さな子どもやお年寄り、なにかほかの病気を持っている人などです。ただし健康な人でも、寝不足が続いたり、ストレスがたまったりして疲れていると、感染しやすくなります。

感染しても症状が出ないのはよいことのように思えますが、問題もあります。症状が出なくても、病原体を持っていることには変わりありません。そのため知らないうちに、病原体をほかの人にうつしてしまっている可能性があるのです。ある感染症が流行するときには、症状が出ている人だけではなく、不顕性感染の人が感染を広げているケースも見られます。

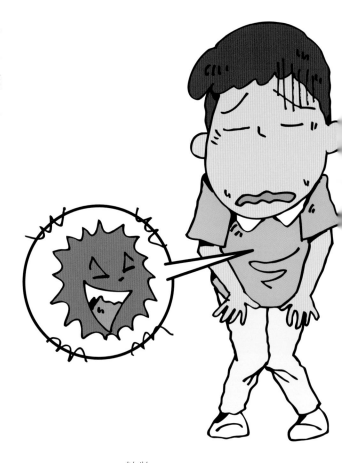

感染しても一部の人だけしか発症しない感染症があります。また、体力のある人は発症せず、気づかないうちに治ってしまうこともあります。

## 知らないうちにうつしているかも？

でもあの人は……？

病原体

感染している人　　感染していない人

感染していても発症しない人は、知らないうちに人にうつしてしまうことがあります。

不思議だね

元気　　　　ふつう　　　　くたくた

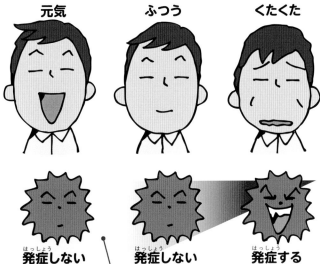

## 「日和見感染症」ってなに？

宿主の体に入り込んでいても無害な細菌などが、宿主の体力が落ちたときに突然、病原体となって病気を引き起こすことがあります。このようなケースを「日和見感染症」といいます。

発症しない　　発症しない　　発症する

体力・抵抗力

# 第1章 感染症ってどんな病気？

## 6 人間の体も防戦する

病原体が人や動物の体に入り込もうとするとき、わたしたちの体は病原体があばれまわるのを、ただじっとがまんしているわけではありません。なんとか病原体を退治してやろうと、必死になって戦います。

一番よいのは、病原体が体の中に入る前に、これをくい止めることです。その役割を果たしているのが、口・鼻・のどにある粘膜です。粘膜は、病原体や小さなほこりが口や鼻の中に入ってきたことに気づくと、せきやくしゃみをすることで外に追い出そうとします。また鼻の中に鼻毛があるのも、病原体を中に入れないためです。

それでも病原体が体の中に侵入してきたときには、好中球やマクロファージ、ヘルパーT細胞やB細胞、ナチュラルキラー細胞といった「免疫細胞」たちが、チームを組んで病原体と戦います。その戦いぶりについては、このシリーズの第2巻でくわしく紹介します。

これらの細胞たちが病原体と戦うときは、体温が上がります。そうすることで細菌などの活動を抑えることができるからです。かぜ（感染症の一種）をひいたときに体温が37度や38度になるのはそのためです。熱が出るのはつらいものですが、それは体が病原体と戦っているあかしなのです。

負けるな
マモルンジャー！

16

# 健康戦隊マモルンジャー！

## 人間の体が備えているおもな「武器」

### 体の入り口で病原体をふせぐ

**粘膜（ねんまく）**　　**鼻毛**

病原体は皮ふではなく、口や鼻など、体の中と外がつながっている場所から入ってきます。粘膜（ねんまく）や鼻毛はそこを守っています。

### 体の中で病原体を攻撃（こうげき）する

**免疫細胞（めんえきさいぼう）**

人間の体には免疫（めんえき）という機能が備わっていて、病原体が体の中に入り込むと免疫細胞（めんえきさいぼう）がいち早く見つけて攻撃（こうげき）を開始します。

# 7 どうしたら感染症とわかる？

　体の調子が悪くなって病院に行くと、お医者さんから「どんなふうにつらいですか？」などと、いろんな質問をされるものです。これはお医者さんが患者さんの症状から、「これはどうもインフルエンザみたいだぞ」とか「ノロウイルスかもしれないな」というふうに、予想を立てるためです。

　でも予想は当たっているとはかぎりません。症状は似ていても、ちがう病気であることはよくあることだからです。そこでお医者さんは、患者さんから血液や便、尿、たん、皮ふの一部などを採取します。そして体の中に病原体はいないか、いるとしたらどんな病原体かを調べるわけです。

　またインフルエンザの場合は、簡単な検査で判断できる簡易キットを使うこともあります。鼻やのどに綿棒をさしこんで粘膜などを取り、その綿棒に特殊な液をかけます。そこで色が変わるかどうかを見て、インフルエンザにかかっているかどうかを判断するのです。

　お医者さんと医学の発展のおかげで、わたしたちは自分が感染症にかかっているかどうかがすぐにわかります。ただし症状が軽くて、「薬を飲んで、部屋で静かに休んでいればすぐに治る」とお医者さんが判断したときには、検査は行われないこともあります。

テヘッ

お医者さん、すごーい

# お医者さんは
# いろいろな情報から診断する

## 検査をすればだいたいのことがわかる

**血液検査**

**病原体の特定**

**X線撮影**

血液検査やX線撮影（レントゲン）を受けたことのある人は多いでしょう。こうした検査で体のだいたいの状態がわかり、それをもとにお医者さんが判断します。

## インフルエンザはすぐにわかる

インフルエンザかもしれないとお医者さんが考えたとき、簡易キットで検査をすればすぐにわかります。検査は少しムズムズしますが、あっという間に終わります。

# 第2章 病原体のいろいろ

## ① ウイルスってなに?

ウイルスは不思議な生き物です。ウイルス以外の生物は、みんな細胞を持っています。細胞では、体の中に取り入れられた栄養分や酸素を使って、生きるために必要なエネルギーやタンパク質が作られています。

ところがウイルスには、細胞がありません。だからウイルスは、自分ではエネルギーやタンパク質を作ることができません。そのため医学や生物学の専門家の中には、「ウイルスは生物ではなくて物質だ」と言う人もいます。

けれども、ウイルスは次に説明するような方法で自分の子ども(複製)を作ることができます。これは物質にはできないことなので、この本ではウイルスを生き物として扱うことにします。

さて、自分ではエネルギーやタンパク質を作れないウイルスは、ほかの生物(宿主)の細胞を利用してこれを行います。ウイルスは宿主の細胞の中に侵入すると、まず自分の体をバラバラにします。そして宿主の細胞の中にある核酸(遺伝子)を、自分の核酸(遺伝子)に作り変えます。

またウイルスは、宿主の細胞の中にあるタンパク質を、自分に必要なタンパク質に作り変えることもします。さらに、自分用に作り変えた核酸(遺伝子)とタンパク質を組み合わせて、その細胞の中で自分とそっくりの子どもをたくさん作ります。そして作り終えると、

またほかの細胞に入り込み、そこでもまた子どもを作ることで、宿主の体の中でどんどん数を増やしていきます。

ウイルスに乗っ取られ、破壊される細胞が増えると、宿主の体の状態も悪くなっていきます。たとえばインフルエンザウイルスに乗っ取られたときには発熱やせき、のどのはれ、ノロウイルスに乗っ取られたときには下痢や吐き気などの症状が引き起こされるわけです。ウイルスは病原体の中では一番小さいけれど、やっかいでおそろしい存在です。

生き物の部品みたいだね

## ウイルスが引き起こす感染症

新型コロナウイルス感染症
インフルエンザ
かぜ症候群
はしか(麻疹)
おたふくかぜ(流行性耳下腺炎)
B型肝炎／C型肝炎
エイズ(後天性免疫不全症候群)
エボラ出血熱
　など、たくさんある

## 病原体の大きさくらべ

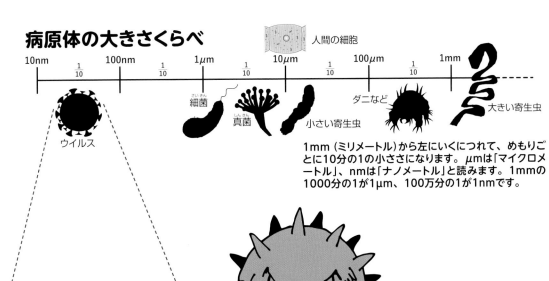

人間の細胞

| 10nm | $\frac{1}{10}$ | 100nm | $\frac{1}{10}$ | 1μm | $\frac{1}{10}$ | 10μm | $\frac{1}{10}$ | 100μm | $\frac{1}{10}$ | 1mm |

ウイルス

細菌

真菌

小さい寄生虫

ダニなど

大きい寄生虫

1mm(ミリメートル)から左にいくにつれて、めもりごとに10分の1の小ささになります。μmは「マイクロメートル」、nmは「ナノメートル」と読みます。1mmの1000分の1が1μm、100万分の1が1nmです。

# 小さいけれど
# おそろしい

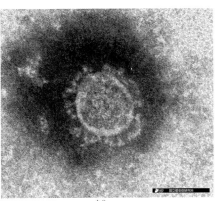

2020年から世界を悩ませている新型コロナウイルスの電子顕微鏡写真。

写真提供:国立感染症研究所

## 小さい「つぶ」のようなもの

ウイルスはカプシドというタンパク質の殻の中に核酸(遺伝子)があるだけの粒子(つぶ)です。種類によっては外側にとげのような突起があります。

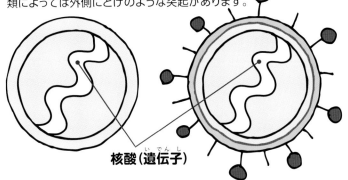

核酸(遺伝子)

## 人間の役に立つウイルスもいる

バクテリオファージという不思議な形したウイルス(右)は、細菌に感染して細菌を殺します。これを利用して、薬の効きにくい細菌が引き起こす感染症を治す研究が行われています。人間の役に立つウイルスもいるのです。

**第2章 病原体のいろいろ**

# ② 細菌ってなに?

細菌は、ウイルスとはちがってちゃんと細胞を持っています。ですから、だれからもうたがわれることがない、れっきとした生物です。バクテリアとも呼ばれています。

細菌が誕生したのは、約35億年前のこと。地球上で最初に生まれた生物です。人の体はたくさんの細胞が集まってできていますが、細菌は1つの細胞だけからできている単細胞生物です。1つだった細菌が2つに分裂し、2つだった細菌が4つに分裂し……というふうにして数を増やしていきます。

栄養分や温度などの条件がそろっていれば、ものすごいスピードで数を増やしていく細菌も中にはいます。たとえば食中毒の原因となる腸管出血性大腸菌は、約20分に1回のペースで分裂します。すると8時間後には1600万個を超える数になります。しかも、人を宿主とする細菌は、ちょうど人の体温ぐらいの温度が大好きで、人の体の中に入ったときに一番元気に活動します。

細菌の中には、わたしたちに悪さをする「悪玉菌」だけではなくて、いろいろと体のサポートをしてくれる「善玉菌」もいます。たとえば人の腸の中に生息しているビフィズス菌は、腸の中で悪さをする悪玉菌が増えるのを抑え、下痢や便秘になるのをふせいでくれる働きがあります。人の体の中や皮ふには、100兆個以上もの善玉菌が住んでいる

## 泳ぐように動く細菌もいる

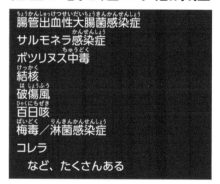

## 細菌が引き起こす感染症

腸管出血性大腸菌感染症
サルモネラ感染症
ボツリヌス中毒
結核
破傷風
百日咳
梅毒／淋菌感染症
コレラ
　　　など、たくさんある

とされています。「細菌＝病原体」ではないのです。

人や動物の体の中を好む細菌がいる一方で、細菌の種類によっては水深1000メートル以上の海の底や、高さ約8000メートルの空の上で生きている細菌もいます。地球上のあらゆる場所に細菌は生息しているのです。これまでに約7000種類の細菌が発見されており、まだ見つかっていないものも合わせると、100万種類以上はいるといわれています。

## 病原体の大きさくらべ

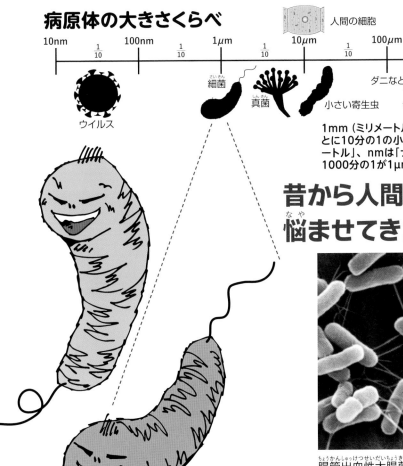

人間の細胞

| 10nm | $\frac{1}{10}$ | 100nm | $\frac{1}{10}$ | 1μm | $\frac{1}{10}$ | 10μm | $\frac{1}{10}$ | 100μm | $\frac{1}{10}$ | 1mm |

ウイルス　細菌　真菌　小さい寄生虫　ダニなど　大きい寄生虫

1mm（ミリメートル）から左にいくにつれて、めもりごとに10分の1の小ささになります。μmは「マイクロメートル」、nmは「ナノメートル」と読みます。1mmの1000分の1が1μm、100万分の1が1nmです。

## 昔から人間を悩ませてきた

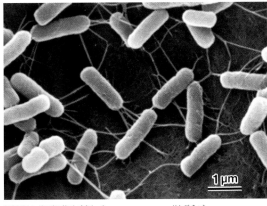

1μm

腸管出血性大腸菌「O157」の電子顕微鏡写真。「べん毛」という毛のような器官を動かして泳ぐように移動します。　写真提供：広島県立総合技術研究所保健環境センター

## いろいろな形の細菌がいる

細菌の形はさまざまです。形によって、ボールのような球菌、「さお」のような桿菌、らせん型のらせん菌などに分けられます。

球菌　桿菌　らせん菌

## どんどん増える

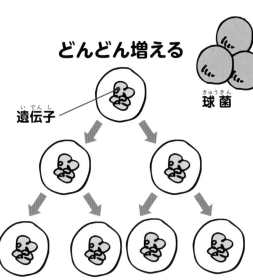

遺伝子

細菌は自分で分裂してどんどん増えていきます。すべての菌が2つに分裂する場合、数時間で大変な数になります。

## 人間の役に立つ細菌もいる

わたしたちの役に立っている細菌もたくさんいます。チーズ、納豆、漬け物などの発酵食品を作るためには細菌の力が必要です。

感染症ってなに？

23

# ③ 真菌ってなに？

真菌とは、カビやキノコ、酵母のことをいいます。真菌には単細胞のものもあれば、多細胞のものもあります。大きさは、小さいカビで2マイクロメートル（1マイクロメートルは、1ミリメートルの1000分の1）ぐらい。一方キノコになると、数十センチメートルになるものもあるので、本当にさまざまです。

増殖の仕方は、カビやキノコの場合は胞子を飛ばすことで増えていきます。また酵母は、多くの場合は出芽といって細胞の一部が突き出て母細胞と娘細胞ができ、母細胞から娘細胞が分裂して増えていきます。ただし、ちがう増え方をする酵母もあります。

真菌は生物の死体や、生きている動植物を宿主にします。真菌の体は胞子と糸状の細胞の菌糸からできており、宿主に寄生すると、菌糸を枝分かれさせながら伸ばしていきます。菌糸の役割は、宿主から栄養を取ったり、取った栄養を運んだりすることです。

生物の死体を分解してくれるという点では、真菌は自然界のお掃除屋さんとして役立っているといえます。けれども植物や動物を宿主にする真菌の中には、病気を引き起こしてしまうものもあります。特に野菜やくだものなどを病気にしてしまう真菌は、農家にとってはこまった存在です。

真菌の中には、人を宿主にするものもあります。有名なところでは、水虫やたむしなどの病気を引き起こす白癬菌があげられます。

真菌の中には、わたしたちの生活に欠かせない存在になっているものもあります。たとえばみそやしょうゆは、こうじ菌というカビを利用して作られます。こうじ菌は、みそやしょうゆの原料である大豆のタンパク質を酵素で分解して、アミノ酸という成分を作ります。みそやしょうゆに独特の「うまみ」があるのは、このアミノ酸のおかげです。

カビやキノコも真菌だよ

## 真菌が引き起こす感染症

水虫／たむし
コクシジオイデス症
播種性クリプトコックス症
アスペルギルス症
カンジダ症
　など

## 病原体の大きさくらべ

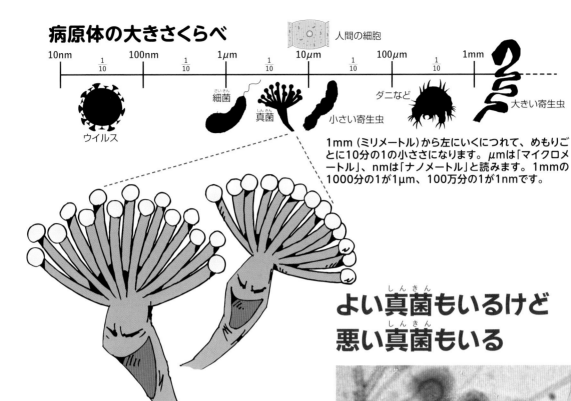

人間の細胞

10nm　1/10　100nm　1/10　1μm　1/10　10μm　1/10　100μm　1/10　1mm

細菌
真菌
小さい寄生虫
ダニなど
大きい寄生虫
ウイルス

1mm（ミリメートル）から左にいくにつれて、めもりごとに10分の1の小ささになります。μmは「マイクロメートル」、nmは「ナノメートル」と読みます。1mmの1000分の1が1μm、100万分の1が1nmです。

# よい真菌もいるけど 悪い真菌もいる

## 胞子を飛ばして増えていく

真菌は胞子を飛ばして増えていくのが特徴です。カビもキノコも酵母も胞子を飛ばします。

胞子

菌糸

真菌の一種、アスペルギルスの顕微鏡写真。肺に感染することがあります。

## 水虫も感染症！

かゆい水虫は、白癬菌という真菌が皮ふに寄生して起こる感染症です。

## みそやしょうゆを作るには 真菌の力が必要

みそ、しょうゆ、日本酒などはこうじ菌の力を利用して作られます。原料がこうじ菌によって発酵すると「うまみ」が生まれます。

酒
しょうゆ

# 4 寄生虫ってなに？ ①小さい寄生虫

寄生虫とは、宿主の体内に入り込み、そこから栄養をとって生きている生物のことを言います。真菌も宿主から栄養をとって生きていますが、真菌の場合は菌糸を伸ばして宿主から栄養を吸収しているのに対して、寄生虫には菌糸はありません。また多くの寄生虫は自分で体を動かすことができます。

寄生虫は、小さくて単細胞の「原虫」と、原虫よりも体が大きくて多細胞の「ゼン虫」に分けられます。このうち原虫は、動物でも植物でも真菌の仲間でもない生き物として「原生動物」と呼ばれています。

原虫の大きさは、1～20マイクロメートル（1マイクロメートルは、1ミリの1000分の1）ぐらい。細菌と同じぐらいの大きさか、それよりもちょっと大きいぐらいです。

原虫はさらに有毛虫類、べん毛虫類、根足虫類、胞子虫類に分けられます。有毛虫類は体の全体に細く短い毛、べん毛虫類は体の後ろ側にしっぽのような毛を生やしており、この毛を使って体を動かします。根足虫類はアメーバのことで、体の形を自由に変えながら運動します。胞子虫類は自分で体を動かすことはできません。

増殖の仕方は、有毛虫類、べん毛虫類、根足虫類は、無性生殖といって細胞を分裂させながら数を増やしていきます。一方、胞子虫類は、無性生殖と有性生殖（オスとメス

動物でもないし植物でもない

## 小さい寄生虫が引き起こす感染症

マラリア
アメーバ赤痢
ジアルジア症
クリプトスポリジウム感染症
トキソプラズマ症
　など

## 原虫の分類

| 有毛虫類 | 全体に細く短い毛がある |
|---|---|
| べん毛虫類 | しっぽのような毛がある |
| 根足虫類 | 形を自由に変えられる |
| 胞子虫類 | 自分では動けない |

が子どもを生むこと）の両方を行います。

ここでは寄生虫の仲間として原虫を紹介しましたが、原虫＝寄生虫ではありません。原虫の中には、ほかの生物に寄生しなくても、自分で生きていけるものもあります。地球には約6万5000種の原虫がいて、そのうち宿主に寄生して生きているのは約1万種。また、人に寄生して病気を引き起こしてしまう原虫は、約40種類とされています。

## 病原体の大きさくらべ

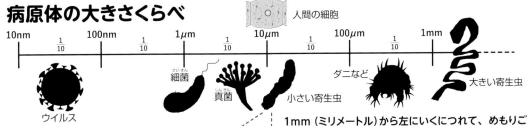

人間の細胞

10nm $\frac{1}{10}$ 100nm $\frac{1}{10}$ 1μm $\frac{1}{10}$ 10μm $\frac{1}{10}$ 100μm $\frac{1}{10}$ 1mm $\frac{1}{10}$

ウイルス　細菌　真菌　小さい寄生虫　ダニなど　大きい寄生虫

1mm（ミリメートル）から左にいくにつれて、めもりごとに10分の1の小ささになります。μmは「マイクロメートル」、nmは「ナノメートル」と読みます。1mmの1000分の1が1μm、100万分の1が1nmです。

# 正体は原虫という「原生動物」

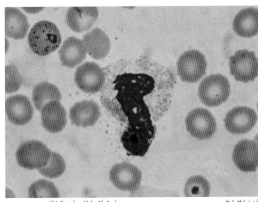

マラリア原虫の顕微鏡写真。マラリアという感染症の病原体です。

## アメーバやゾウリムシも原生動物

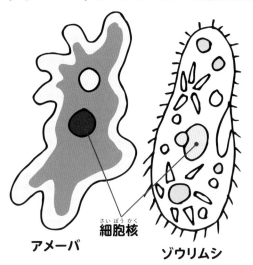

細胞核
アメーバ　ゾウリムシ

アメーバやゾウリムシなどの原生動物は、近くの川や池などにもたくさんいます。病原体になるのはほんの一部です。

## 人間の役に立つ原生動物もいる

原生動物と藻類（植物の一種）、両方の特徴を持つミドリムシは栄養価が高く、食品として利用されます。食料不足の解決にも役立つといわれています。

# 5 寄生虫ってなに？ ②大きい寄生虫

寄生虫の中でも、体が大きくて多細胞の生物を「ゼン虫」といいます。その大きさは、小さいものだと成虫で1ミリぐらいですが、人の小腸に寄生する日本海裂頭条虫(サナダムシの一種)は、すごく細長い生物で、中には10メートルに達するものもあります。

ゼン虫は、卵から幼虫になり、成虫になって卵を産むまで、ずっと1種類の宿主の体の中で生きるものもあれば、卵や幼虫のときと成虫のときで宿主が変わるものもあります。

宿主が変わっていくゼン虫の場合、卵や幼虫のときには、ある宿主の中で栄養を取りながら育っていき、その宿主が別の生き物に食べられるのを待ちます。そして食べられたら、今度はその新しい生き物を宿主として栄養を取りながら成虫として生き、卵を産みます。その卵は、宿主の排泄物(うんち)といっしょに外に出ます。そしてその卵や、卵からかえった幼虫は、また最初の宿主に食べられるなどして体の中に入っていくのを待つというわけです。

寄生虫には、宿主を病気にしてしまうものもいれば、宿主の健康に影響を与えないものもいます。ただ、本来は宿主ではない生き物に寄生したときに、重い病気を引き起こすことがあります。

たとえば、海の中で生きているアニサキスというゼン虫は、最初にオキアミに寄生し、イカやイワシ、サバなどをへて、最後はイルカやクジラを宿主とします。これらの宿主は、アニサキスに寄生されても病気にはなりません。ところが、本来はアニサキスの宿主ではないわたしたち人間が、アニサキスが寄生しているイワシやサバなどを生で食べて感染すると、ひどい腹痛や下痢などに苦しむことになります。

「おしりぺったん」の検査をしたよね

日本の小学校では2016年まで「ぎょう虫検査」が行われており、おしりにシールを貼ってはがすという方法から、「おしりぺったん」と呼ばれて親しまれました。

## 大きい寄生虫が引き起こす感染症

ぎょう虫感染症
回虫症
条虫症
エキノコックス症
　など

# 病原体の大きさくらべ

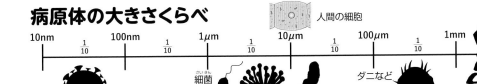

人間の細胞

| 10nm | 1/10 | 100nm | 1/10 | 1μm | 1/10 | 10μm | 1/10 | 100μm | 1/10 | 1mm |

ウイルス
細菌
真菌
小さい寄生虫
ダニなど
大きい寄生虫

1mm（ミリメートル）から左にいくにつれて、めもりごとに10分の1の小ささになります。μmは「マイクロメートル」、nmは「ナノメートル」と読みます。1mmの1000分の1が1μm、100万分の1が1nmです。

# ぞっとするような「ゼン虫」たち

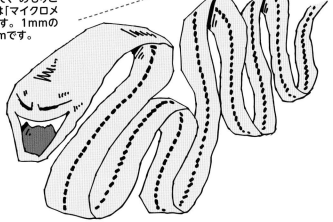

ゼン虫の一種、条虫（サナダムシ）。中には、長さが10メートルに達するものもいます。10メートルというと自動車2台分以上、人間の大人の腸全体とほぼ同じ長さです。

# 寄生虫の卵を持っている小学生の割合 文部科学省資料より

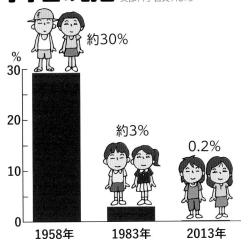

約30%
約3%
0.2%

%
30
20
10
0

1958年　1983年　2013年

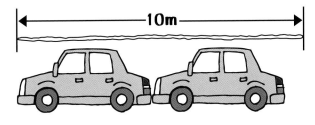

10m

今の子ども（右）から見て祖父母世代（左）は3人に1人ぐらいが体の中に寄生虫の卵を持っていましたが、冷蔵庫の普及などで衛生状態がよくなり、父母世代（中）には100人に3人程度と、ぐっと少なくなりました。

# 魚の中の寄生虫に気をつけよう

アニサキスというゼン虫の幼虫が寄生している魚を生で食べると、食中毒を起こします。長さが2〜3センチあり、目で見てもわかります。気をつけましょう。

# 6 病原体はほかにもいる

ここまでウイルスや細菌などの病原体を紹介してきました。実はこのほかにも感染症を引き起こす病原体として、ダニやシラミの一種や、プリオンというものがあります。

このうちダニやシラミは、ノミや蚊、ネズミなどとともに「衛生動物」と呼ばれています。衛生動物は、ウイルスや細菌などの病原体を人や動物の体に運んできて、わたしたちを感染症にさせるこまった存在です。しかも、ダニやシラミの中には「感染症の運び屋」をするだけではなくて、自らも病原体として人や動物の皮ふなどに寄生して、病気を引き起こしてしまうものがあります。

たとえばヒゼンダニは、人の皮ふに穴をほって卵を産みます。すると皮ふに赤いブツブツができて、強いかゆみを感じる疥癬という病気になります。

一方、プリオンとは、人や動物の体内にあるプリオンタンパクというタンパク質が異常になったものです。この異常になったプリオンが健康な人や動物の体内に入ると、正常なプリオンを異常プリオンに変えてしまいます。

イギリスでは1980年代後半から90年代にかけて、異常プリオンの入ったエサを食べた約18万頭の牛が、BSE（牛海綿状脳症）という病気になりました。これは脳に障害が起こってうまく動けなくなり、発症後2週間〜6か月で死ぬという病気です。

ほかにもいるから
油断しちゃダメ

## そのほかの病原体が引き起こす感染症

疥癬（ダニによる）
アタマジラミ症／ケジラミ症（シラミによる）
クロイツフェルト・ヤコブ病（異常プリオンによる）
　など

またイギリスでは、BSEにかかった牛の肉を人が食べたことで、人のあいだにも感染が広がりました。体をうまく動かせなくなり、また認知症の症状が進むクロイツフェルト・ヤコブ病という病気によって、100人以上が命を落としました。ただし、今ではBSEの原因となったエサを牛にあたえることを禁止したため、病気はおさまっています。

## 病原体の大きさくらべ

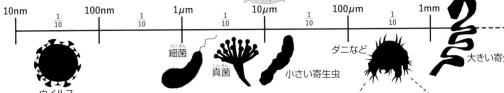

人間の細胞

| 10nm | 100nm | 1μm | 10μm | 100μm | 1mm |
|---|---|---|---|---|---|

ウイルス　　細菌　真菌　小さい寄生虫　ダニなど　　大きい寄生虫

1mm（ミリメートル）から左にいくにつれて、めもりごとに10分の1の小ささになります。μmは「マイクロメートル」、nmは「ナノメートル」と読みます。1mmの1000分の1が1μm、100万分の1が1nmです。

# ひふにもぐりこむ
# 小さいダニもいる

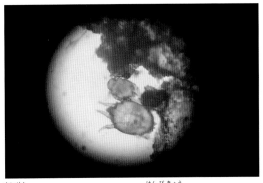

疥癬（かいせん）の病原体、ヒゼンダニの顕微鏡（けんびきょう）写真。とても小さく、人の皮ふに寄生します。

## 「異常（いじょう）プリオン」という病原体もいる

異常プリオンは狂牛病（きょうぎゅうびょう）とも呼（よ）ばれるBSE（ビーエスイー）の病原体です。プリオンは生物ではありませんが、感染（かんせん）する性質を持っているため病原体として扱います。

異常（いじょう）プリオン

# ふつうのダニ、ノミ、蚊（か）などは感染症（かんせんしょう）を「媒介（ばいかい）」する

わたしたちのまわりによくいるダニ、ノミ、蚊（か）、ハエ、ネズミなどの「衛生動物」は感染症（かんせんしょう）の病原体を運んでくるため、できるだけ遠ざけることが大切です。

ダニ

ノミ　　蚊（か）

# ⑦ ウイルスはどんどん変化する

生き物はみな進化をしています。わたしたち人類も、300万年前の祖先のすがたは、現代人とはまったくちがいます。

ただし、ふつうは進化のスピードはとてもゆっくりしています。100年とか1000年ぐらいでは、そんなに簡単には変わりません。ところがウイルスの中でも、インフルエンザウイルスなどの「RNAウイルス」と呼ばれる種類は、どんどん変化していきます。人だと100万年ぐらいかかる変化が、RNAウイルスだと1年間ぐらいで起こってしまいます。

なぜRNAウイルスは、変化のスピードが速いのかというと、DNAという遺伝子を持っていないからです。

ウイルス以外の生物は、DNAとRNAを持っています。このうちDNAとは、建物を建てるときの設計図のようなもので、その生き物の体をどんなふうに作っていくかについての情報が書き込まれています。そして実際に体を作るときには、まず情報をDNAからRNAに書き写したうえで作っていきます。すると、ときどき書きまちがえてしまうことがありますが、そんなときはDNAが「そこはまちがえているよ」と直します。

ところがRNAウイルスはDNAを持っていないので、情報を書きまちがえても直されることがありません。だからどんどんちがうものに変化していくのです。

これはわたしたちとしては、とてもこまったことです。このシリーズの第2巻でくわしく説明していますが、人や動物の体は一度感染した病原体のことをよく覚えていて、二度と感染しないために「免疫」というものができます。ところがウイルスがすがたを大きく変えてしまったら、体は「これは以前感染したウイルスとはちがうウイルスだ」と判断して、せっかくできた免疫が活かされなくなってしまうのです。わたしたちがRNAウイルスであるインフルエンザウイルスに、何度も感染してしまうのはそのためです。

なおウイルスには、RNAウイルスとは逆に、DNAは持っていてもRNAは持っていない「DNAウイルス」もあります。たとえば水ぼうそう(水痘)の原因となる水痘帯状疱疹ウイルスはDNAウイルスです。こちらはRNAウイルスとはちがって、変化のスピードは速くありません。

## 多くはRNAウイルス

| DNAウイルス | RNAウイルス |
|---|---|
| 水痘帯状疱疹ウイルス | インフルエンザウイルス |
| ヘルペスウイルス | エボラウイルス |
| パピローマウイルス | ラッサウイルス |
| パルボウイルス | ノロウイルス |
| など | SARSウイルス |
| | 口蹄疫ウイルス |
| | デングウイルス |
| | 日本脳炎ウイルス |
| | C型肝炎ウイルス |
| | ロタウイルス |
| | など |

# みるみるうちに変わっていく！

相手は手ごわいぞ！

## 人類の進化は300万年！

**アウストラロピテクス**　　　　　　　　**現代人**

左は人類の最も古い祖先とされる、約300万年前のアウストラロピテクス。わたしたちの進化は気が遠くなるほどゆっくりですが、ウイルスの変化はあっという間です。

## 遺伝子には DNAとRNAがある

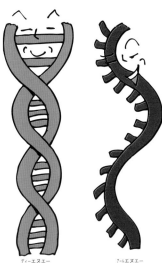

**DNA**　　　　　　　　　**RNA**

「二重らせん」のDNAでは、らせんの片方の設計がちがうと形にならないので、チェックして作り直しをします。一方、RNAではまちがいがそのまま形になります。

# 1 飛沫でうつる

## くしゃみやせきにご用心！

かぜやインフルエンザになると、せきやくしゃみが出てしまいます。このとき、せきやくしゃみといっしょに、たくさんの水しぶきも口の中から出ていきます。この水しぶきのうち、直径5マイクロメートル（1マイクロメートルは1ミリメートルの1000分の1）以上のものを飛沫といいます。

1回のせきやくしゃみの中には、数万〜数十万個の飛沫がふくまれており、また病気になっている人の飛沫の中には、大量の病原体がふくまれています。飛沫は会話をしているときにも、口の中から飛び出してきます。

口から出てきた飛沫は、1〜2メートルぐらいの距離まで飛んだあとに、数秒間をかけて地面に落下します。この飛沫が近くにいた人にかかり、病原体が口や鼻から体に入って感染することを「飛沫感染」といいます。

かぜやインフルエンザ、肺炎などは、飛沫感染でうつることが一番多いといわれています。またおたふくかぜの原因となるムンプスウイルスや、風疹の原因となる風疹ウイルスも、飛沫感染でうつります。

中にはプール熱（咽頭結膜熱）の原因となるアデノウイルスのように、口や鼻だけではなく、飛沫が目に入って目が感染するものもあります。プール熱が目に感染すると、目の痛みやまぶしさ、充血などの症状を引き起こします。

病原体がいるかも？

## 楽しい会食にもご用心

会食やパーティーでは楽しさのあまり、つい大声で話してしまうことがあります。飛沫を飛ばしすぎないよう気をつけましょう。

病原体が
いるかも？

飛沫はどうしても
飛んでしまうんだ

### 飛沫でうつる感染症

新型コロナウイルス感染症
インフルエンザ
かぜ症候群
肺炎
おたふくかぜ
風疹
　など、たくさんある

第3章 感染経路を知っておこう

# ② 空気を伝ってうつる

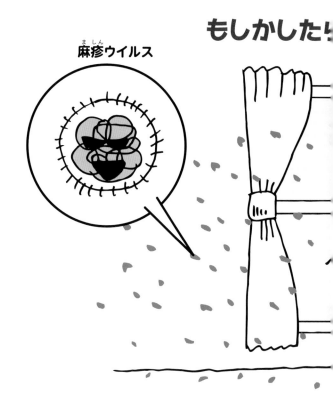

麻疹ウイルス

もしかしたら

前のページでは、病気に感染している人の飛沫の中に大量の病原体がふくまれているという話をしました。飛沫は時間がたつと、水分が蒸発して小さくなります。こうして小さくなって、直径が5マイクロメートル（1マイクロメートルは1ミリの1000分1）以下になったもののことを、飛沫核といいます。

飛沫核は軽いので、空気の中をただよいます。地面に落ちた飛沫も、飛沫核になると空気中にまいあがります。この空気中にいる病原体が、体内に入って感染することを「空気感染」といいます。特に窓を閉め切っている部屋の中では、空気感染が起こりやすくなります。

ただしウイルスは、宿主の細胞の中にいるときにはどんどん数をふやしますが、宿主の外に出ると、多くの場合は短い時間で死んでしまいます。空気の中では長く生きることはできません。ですからウイルスが原因で起こる感染症の場合は、空気感染よりは飛沫感染によってうつるもののほうが多いのです。

しかし中には、空気中でも長く生きるウイルスもいます。はしか（麻疹）の原因となる麻疹ウイルスや、水ぼうそう（水痘）の原因となる水痘帯状疱疹ウイルスは、感染力がとても強いので、空気感染でうつることも多く見られます。また細菌では、結核を引き起こす結核菌が、多くの場合は空気感染によってうつります。

## 空気を伝ってうつる感染症

はしか（麻疹）
水ぼうそう（水痘）
結核
　など

たまには
換気しよう

36

## 病原体はどうやって飛んでいるの?

空気感染する病原体は空中をどのように飛んでいるのでしょう。なにかほかのものについている? 何個も集まっている? 実はだれにもわかりません。地球上の空間はあまりに広く、病原体はあまりに小さいので、空中の病原体を見つけることはほとんどできません。だから換気や清掃に努めて、環境そのものを清潔に保つことが大切なのです。

いるかもしれない?

結核菌

水痘帯状疱疹ウイルス

# ③ ふれることでうつる

感染症にかかっている人は、手などの皮ふに病原体がつきやすくなります。たとえばせきやくしゃみをするとき、つい口に手をあてますが、こうすると飛沫がまわりに飛び散らない代わりに、手にはたくさん病原体がついてしまいます（手ではなく服やティッシュで受けるのが正しいエチケットです）。

その手をちゃんと洗わないまま、友だちと握手をしたり、小さな子どもをだっこしたりすると、相手に病原体がつき、感染させてしまうことがあります。こうした感染のしかたを「接触感染」といいます。

接触感染は、相手に直接ふれなくても起こります。感染している人がさわったり、飛沫が飛んだりすることで、タオルやふとん、手すりやドアノブ、ボタンやスイッチ、便座、電車のつり革などに病原体がつくことがあります。それをほかの人がさわって、感染してしまうのです。

接触感染によってうつりやすい感染症としては、下痢や腹痛などの症状を引き起こす腸管出血性大腸菌感染症（O157など）や、水ぼうそう（水痘）などがあります。

また、アフリカで流行をくり返しており、感染した人の約90％が亡くなる病気としておそれられているエボラ出血熱も、感染している人の血液や体液にふれることでうつります。生きている感染者だけでなく、亡くなった方の体にふれることからでもうつります。

「せきエチケット」は日本型より欧米型で

せきやくしゃみをするとき、まわりに飛沫が飛ばないよう工夫することを「せきエチケット」といいます。日本では多くの人が手を口に直接あてますが、それだと飛沫がほかのものについてしまうので、欧米の習慣のように服のそでをあてるほうが安全と考えられます。

だから手洗いが大事なんだ

飛沫が回り回って
口に入るかもしれない

飛沫が飛んだり
手についたりすると……

つり革

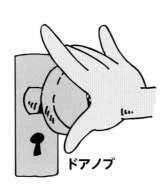

ドアノブ

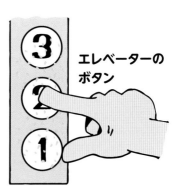

エレベーターの
ボタン

いろいろなところに病原体がついてしまう

## ふれることでうつる感染症

新型コロナウイルス感染症
インフルエンザ
水ぼうそう（水痘）
風疹
腸管出血性大腸菌感染症
プール熱
エボラ出血熱
　　など

## その手、本当にきれい!?

手には飛沫がたくさんついているはず。指をなめるくせは直して、食事の前には必ず手を洗いましょう。

# ④ 食べ物からうつる

食物の中には、いろいろな病原体がついていることがあります。お肉をしっかりと焼かないまま食べたり、野菜をちゃんと洗わないで生のままで食べたりすると、病原体が生きた状態で体の中に入ってきます。こうして病気に感染することを「経口感染」といいます。

またスーパーなどで食物を買ったときには病原体はついていなかったとしても、人が病原体のついた手で食物にふれたり、包丁やまな板に病原体がついていたりすると、そこから病原体が食物にうつり、さらにはそれを食べた人にうつることになります。

経口感染で病気になるケースで一番多いのは、食中毒です。食中毒になると、下痢や腹痛、吐き気などの症状が出ます。食中毒を引き起こす病原体としては、ウイルスではノロウイルス、細菌ではカンピロバクター、ウェルシュ菌などがあります。

また昔はよく野菜の中に、ヒトカイチュウという寄生虫がついていました。昔の日本では、野菜を作る肥料として糞尿(うんちやおしっこ)を使っていました。肥料の中にヒトカイチュウの卵がついていると、それが野菜にもつき、それを食べた人の体内にも入っていきます。ヒトカイチュウは、さまざまな体の不調を引き起こします。しかし今では、糞尿の代わりに化学肥料が使われるようになったため、日本ではヒトカイチュウはほとんど見られなくなりました。

## こんなところに病原体がいる

**シンク・スポンジ・まな板など**

**肉や野菜の表面**

食べ物からうつる病原体は、おもに台所など、水気が多くて湿りがちな場所にいます。シンクの中やスポンジ、まな板などは使うたびに洗いましょう。肉や野菜など食べ物の表面にも病原体がついているので、洗ったり加熱したりしましょう。

**料理するときは清潔にしよう**

# 食べ物からうつる感染症

ノロウイルス感染症
腸管出血性大腸菌感染症
カンピロバクター感染症
サルモネラ感染症
　　　など、食中毒に多い

## 細菌やウイルスをつけないために洗う

細菌やウイルスを食べ物につけないよう、調理の前や調理中は何度も石けんで手を洗いましょう。まな板や包丁も使うたびに洗剤で洗います。

## 細菌を増やさないために低温で保存する

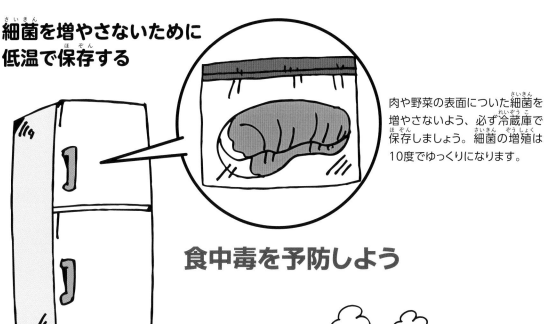

肉や野菜の表面についた細菌を増やさないよう、必ず冷蔵庫で保存しましょう。細菌の増殖は10度でゆっくりになります。

# 食中毒を予防しよう

## 細菌やウイルスを殺すために外側も内側も加熱しよう

ほとんどの細菌やウイルスは加熱すると死にます。肉・魚・野菜は加熱すれば安全です。肉の内側も加熱しましょう。「中心部を75度で1分以上加熱」が目安です。

## 吐き気や下痢があるときは調理するのをやめる

食中毒の原因となるウイルスを台所に持ち込まないよう、吐き気や下痢があるときは調理をやめましょう。

厚生労働省資料・政府広報オンラインを参考に作成

# 5 お母さんから赤ちゃんにうつる

赤ちゃんは生まれてくるまで、お母さんのおなかの中ですごしています。また生まれたあとは、お母さんのお乳を飲みながら育ちます。そのためお母さんが感染症になっていると、おなかの中にいるときや母乳を飲んでいるときに、赤ちゃんにも病気がうつることがあります。これを「母子感染」といいます。

おなかの中にいる赤ちゃんは、お母さんの胎盤というところから栄養をもらいながら、生まれてくる準備をしています。母子感染の中には、胎盤を通してお母さんから赤ちゃんに病気がうつるものがあります。たとえば風疹ウイルスが原因で起こる風疹や、ヒト免疫不全ウイルスが原因で起こるエイズ(後天性免疫不全症候群)などです。

赤ちゃんが生まれるときには、産道というところを通って外の世界に出てきます。この産道を通るとき、お母さんの体から出た血から、赤ちゃんに感染してしまう病気があります。たとえばエイズ(後天性免疫不全症候群)や、B型肝炎などです。

また、お母さんのお乳から赤ちゃんにうつるウイルスに、HTLV-1があります。このウイルスに感染すると、大人になってから成人T細胞白血病という、血液のがんになることがあります。

## 妊婦健診で調べる感染症の病原体

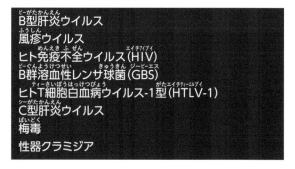

B型肝炎ウイルス
風疹ウイルス
ヒト免疫不全ウイルス(HIV)
B群溶血性レンサ球菌(GBS)
ヒトT細胞白血病ウイルス-1型(HTLV-1)
C型肝炎ウイルス
梅毒
性器クラミジア

妊婦健診を受ければ安心だね

# 赤ちゃんにも感染の危険がある

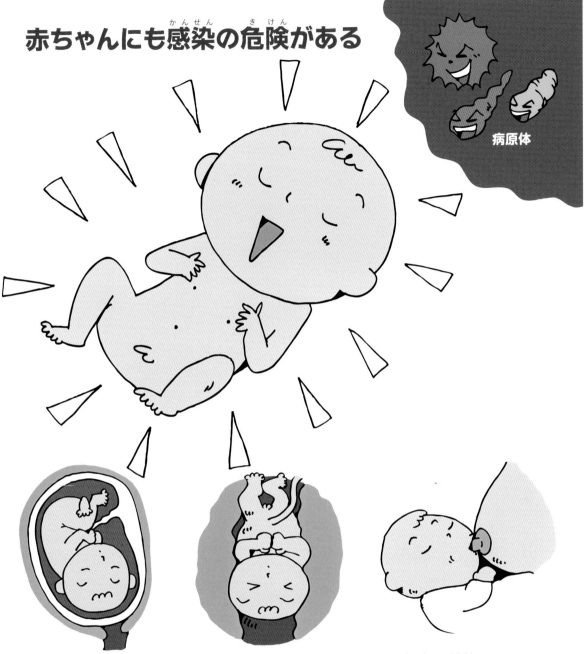

病原体

**胎盤から感染する**
赤ちゃんがおなかの中にいるときに胎盤を通して感染します。胎内感染といいます。

**産道で感染する**
産道を通るときに血液から感染します。産道感染といいます。

**母乳から感染する**
赤ちゃんがお乳を飲むことで感染します。母乳感染といいます。

## 赤ちゃんは産道で小さな生物と出会う

おなかの中の赤ちゃんにとって、お母さんの産道から先は外の世界です。赤ちゃんは産道を通って顔を出すまでの短い間に、細菌など小さな生物にふれます。それが赤ちゃんの腸内に住みつく「善玉菌」の「もと」になります。このとき病原体にもふれてしまわないようにするため、妊婦検診が行われるのです。

# 6 動物からうつる

　病原体は人だけではなく、動物の体の中にも入り込みます。そのため病原体を持っている動物にかまれたり、ひっかかれたり、その動物の飛沫が口や鼻から体に入ったりしたことが原因で、人に感染してしまうこともあります。こうした、動物から人にうつる感染症のことを「動物由来感染症」や「人獣共通感染症」といいます。

　たとえば、狂犬病ウイルスが原因で起こる狂犬病もその一つ。狂犬病はイヌ以外にも、ネコやキツネ、アライグマ、そして人など、いろいろな動物に感染します。感染して発症すると、ほぼ100%の確率で死ぬというおそろしい病気です。

　狂犬病の場合はイヌでも人でも、感染すれば発症する危険がありますが、そうでない病原体もあります。動物の体の中にいるときは無症状ですが、人の体に入り込むと発症するというものです。たとえば、トキソプラズマ・ゴンジーという原虫はネコ科の動物を宿主としていますが、ネコはこの原虫に寄生されても、よほど体が弱っているときでなければ発症しません。けれどもネコから人にうつると、人には発熱や発疹、リンパ節のはれなどの症状（トキソプラズマ症）が起こります。

　また、ダニや蚊、ノミ、シラミ、ハエ、ネズミなどの衛生動物は、いろいろな病原体を人の体の中に運んでくることが知られています。たとえば、アフリカを中心に1年間で約200万人が亡くなっている、マラリアという病気があります。これはマラリア原虫に寄生されたハマダラカという蚊に、人がさされることで感染するというものです。

　なお、病原体のふくまれた肉や魚を食べたことが原因で起こる食中毒も、動物の体の中にあった病原体が人へと感染したことになりますから、間接的にうつる動物由来感染症の一つといえます。

## 動物からうつる感染症

狂犬病
猫ひっかき病
トキソプラズマ症
回虫症
エキノコックス症
　など（直接うつるもの）

**動物はかわいいけど注意が必要**

# いろいろな病気が動物からうつる

## 狂犬病はとてもおそろしい

狂犬病は発症すると必ず死ぬ病気です。そのためイヌの飼い主はイヌに狂犬病の予防接種（予防注射）を受けさせることが義務づけられています。なお日本では60年以上、狂犬病は発生していません。

## 蚊やノミも病原体を運んでくる

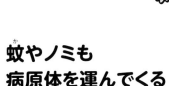

### マラリア

熱帯などに多いマラリアは蚊が病原体を運ぶ病気です。流行している土地に旅行するときは予防の薬を飲むのが一般的です。

### ペスト

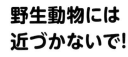

ペストは昔のヨーロッパなどで大流行した感染症です。流行の原因は、ノミやネズミがペスト菌を人に運んだことでした。

## 野生動物には近づかないで!

### エキノコックス症

野生のキタキツネやタヌキなどにはエキノコックスという寄生虫がいて、その卵が口から入ると人にも感染し、肝臓の病気を引き起こします。野生動物にむやみに近づいてはいけません。

感染症法(感染症の予防及び感染症の患者に対する医療に関する法律)では、危険度によって感染症を5つに分類しています。1類が最も危険度の高い感染症です。また感染症罹患者の把握には、全数を正確に知る「全数把握」と、おおよその数を知る「定点把握」があります。

参考資料 **感染症法における感染症の分類**

|  |  |
|---|---|
| 1類 | エボラ出血熱 |
| | クリミア・コンゴ出血熱 |
| | 痘そう |
| | 南米出血熱 |
| | ペスト |
| | マールブルグ病 |
| | ラッサ熱 |
| 2類 | 急性灰白髄炎 |
| | 結核 |
| | ジフテリア |
| | 重症急性呼吸器症候群（病原体がコロナウイルス属SARSコロナウイルスであるものに限る） |
| | 中東呼吸器症候群（病原体がベータコロナウイルス属MERSコロナウイルスであるものに限る） |
| | 鳥インフルエンザ(H5N1) |
| | 鳥インフルエンザ(H7N9) |
| 3類 | コレラ |
| | 細菌性赤痢 |
| | 腸管出血性大腸菌感染症 |
| | 腸チフス |
| | パラチフス |
| 4類 | E型肝炎 |
| | ウエストナイル熱 |
| | A型肝炎 |
| | エキノコックス症 |
| | 黄熱 |
| | オウム病 |
| | オムスク出血熱 |
| | 回帰熱 |
| | キャサヌル森林病 |
| | Q熱 |
| | 狂犬病 |
| | コクシジオイデス症 |
| | サル痘 |
| | ジカウイルス感染症 |
| | 重症熱性血小板減少症候群（病原体がフレボウイルス属SFTSウイルスであるものに限る） |
| | 腎症候性出血熱 |
| | 西部ウマ脳炎 |
| | ダニ媒介脳炎 |
| | 炭疽 |
| | チクングニア熱 |
| | つつが虫病 |
| | デング熱 |
| | 東部ウマ脳炎 |
| | 鳥インフルエンザ（鳥インフルエンザ(H5N1及びH7N9)を除く） |
| | ニパウイルス感染症 |
| | 日本紅斑熱 |
| | 日本脳炎 |
| | ハンタウイルス肺症候群 |
| | Bウイルス病 |
| | 鼻疽 |
| | ブルセラ症 |
| | ベネズエラウマ脳炎 |
| | ヘンドラウイルス感染症 |
| | 発しんチフス |
| | ボツリヌス症 |
| | マラリア |
| | 野兎病 |
| 4類 | ライム病 |
| | リッサウイルス感染症 |
| | リフトバレー熱 |
| | 類鼻疽 |
| | レジオネラ症 |
| | レプトスピラ症 |
| | ロッキー山紅斑熱 |
| 5類 | アメーバ赤痢 |
| | RSウイルス感染症 |
| | 咽頭結膜熱 |
| | インフルエンザ（鳥インフルエンザ及び新型インフルエンザ等感染症を除く） |
| | ウイルス性肝炎（E型肝炎及びA型肝炎を除く） |
| | A群溶血性レンサ球菌咽頭炎 |
| | カルバペネム耐性腸内細菌科細菌感染症 |
| | 感染性胃腸炎 |
| | 急性出血性結膜炎 |
| | 急性弛緩性麻痺 |
| | 急性脳炎（ウエストナイル脳炎、西部ウマ脳炎、ダニ媒介脳炎、東部ウマ脳炎、日本脳炎、ベネズエラウマ脳炎及びリフトバレー熱を除く） |
| | クラミジア肺炎(オウム病を除く) |
| | クリプトスポリジウム症 |
| | クロイツフェルト・ヤコブ病 |
| | 劇症型溶血性レンサ球菌感染症 |
| | 後天性免疫不全症候群 |
| | 細菌性髄膜炎（侵襲性インフルエンザ菌感染症、侵襲性髄膜炎菌感染症及び侵襲性肺炎球菌感染症を除く） |
| | ジアルジア症 |
| | 侵襲性インフルエンザ菌感染症 |
| | 侵襲性髄膜炎菌感染症 |
| | 侵襲性肺炎球菌感染症 |
| | 水痘 |
| | 性器クラミジア感染症 |
| | 性器ヘルペスウイルス感染症 |
| | 尖圭コンジローマ |
| | 先天性風しん症候群 |
| | 手足口病 |
| | 伝染性紅斑 |
| | 突発性発しん |
| | 梅毒 |
| | 播種性クリプトコックス症 |
| | 破傷風 |
| | バンコマイシン耐性黄色ブドウ球菌感染症 |
| | バンコマイシン耐性腸球菌感染症 |
| | 百日咳 |
| | 風しん |
| | ペニシリン耐性肺炎球菌感染症 |
| | ヘルパンギーナ |
| | マイコプラズマ肺炎 |
| | 麻しん |
| | 無菌性髄膜炎 |
| | メチシリン耐性黄色ブドウ球菌感染症 |
| | 薬剤耐性アシネトバクター感染症 |
| | 薬剤耐性緑膿菌感染症 |
| | 流行性角結膜炎 |
| | 流行性耳下腺炎 |
| | 淋菌感染症 |

| 新型インフルエンザ等感染症 |
|---|

このほかに、指定感染症（既知の感染症で重大な影響のあるもの）と新感染症（未知の感染症で重大な影響のあるもの）があります。

# 全数把握を行う感染症

| 1類感染症 |
| --- |
| エボラ出血熱 |
| クリミア・コンゴ出血熱 |
| 痘そう |
| 南米出血熱 |
| ペスト |
| マールブルグ病 |
| ラッサ熱 |

| 2類感染症 |
| --- |
| 急性灰白髄炎 |
| 結核 |
| ジフテリア |
| 重症急性呼吸器症候群(病原体がコロナウイルス属SARSコロナウイルスであるものに限る) |
| 中東呼吸器症候群(病原体がベータコロナウイルス属MERSコロナウイルスであるものに限る) |
| 鳥インフルエンザ(H5N1) |
| 鳥インフルエンザ(H7N9) |

| 3類感染症 |
| --- |
| コレラ |
| 細菌性赤痢 |
| 腸管出血性大腸菌感染症 |
| 腸チフス |
| パラチフス |

| 4類感染症 |
| --- |
| E型肝炎 |
| ウエストナイル熱 |
| A型肝炎 |
| エキノコックス症 |
| 黄熱 |
| オウム病 |
| オムスク出血熱 |
| 回帰熱 |
| キャサヌル森林病 |
| Q熱 |
| 狂犬病 |
| コクシジオイデス症 |
| サル痘 |
| ジカウイルス感染症 |
| 重症熱性血小板減少症候群(病原体がフレボウイルス属SFTSウイルスであるものに限る) |
| 腎症候性出血熱 |
| 西部ウマ脳炎 |
| ダニ媒介脳炎 |
| 炭疽 |
| チクングニア熱 |
| つつが虫病 |
| デング熱 |
| 東部ウマ脳炎 |
| 鳥インフルエンザ(鳥インフルエンザ(H5N1及びH7N9)を除く) |

| |
| --- |
| ニパウイルス感染症 |
| 日本紅斑熱 |
| 日本脳炎 |
| ハンタウイルス肺症候群 |
| Bウイルス病 |
| 鼻疽 |
| ブルセラ症 |
| ベネズエラウマ脳炎 |
| ヘンドラウイルス感染症 |
| 発しんチフス |
| ボツリヌス症 |
| マラリア |
| 野兎病 |
| ライム病 |
| リッサウイルス感染症 |
| リフトバレー熱 |
| 類鼻疽 |
| レジオネラ症 |
| レプトスピラ症 |
| ロッキー山紅斑熱 |

| 5類感染症の一部 |
| --- |
| アメーバ赤痢 |
| ウイルス性肝炎(E型肝炎及びA型肝炎を除く) |
| カルバペネム耐性腸内細菌科細菌感染症 |
| 急性弛緩性麻痺(急性灰白髄炎を除く) |
| 急性脳炎(ウエストナイル脳炎、西部ウマ脳炎、ダニ媒介脳炎、東部ウマ脳炎、日本脳炎、ベネズエラウマ脳炎及びリフトバレー熱を除く) |
| クリプトスポリジウム症 |
| クロイツフェルト・ヤコブ病 |
| 劇症型溶血性レンサ球菌感染症 |
| 後天性免疫不全症候群 |
| ジアルジア症 |
| 侵襲性インフルエンザ菌感染症 |
| 侵襲性髄膜炎菌感染症 |
| 侵襲性肺炎球菌感染症 |
| 水痘(入院例に限る) |
| 先天性風しん症候群 |
| 梅毒 |
| 播種性クリプトコックス症 |
| 破傷風 |
| バンコマイシン耐性黄色ブドウ球菌感染症 |
| バンコマイシン耐性腸球菌感染症 |
| 百日咳 |
| 風しん |
| 麻しん |
| 薬剤耐性アシネトバクター感染症 |

| 指定感染症 |
| --- |
| 新型コロナウイルス感染症(病原体がベータコロナウイルス属のコロナウイルス(令和二年一月に中華人民共和国から世界保健機関に対して、人に伝染する能力を有することが新たに報告されたものに限る)であるものに限る) |

# 定点把握を行う感染症

## 5類感染症の一部

| 小児科定点医療機関(全国約3,000カ所の小児科医療機関)が届出するもの |
| --- |
| RSウイルス感染症 |
| 咽頭結膜熱 |
| A群溶血性レンサ球菌咽頭炎 |
| 感染性胃腸炎 |
| 水痘 |
| 手足口病 |
| 伝染性紅斑 |
| 突発性発しん |
| ヘルパンギーナ |
| 流行性耳下腺炎 |

| インフルエンザ定点医療機関(全国約5,000カ所の内科・小児科医療機関)、及び基幹定点医療機関(全国約500カ所の病床数300以上の内科・外科医療機関)が届出するもの |
| --- |
| インフルエンザ(鳥インフルエンザ及び新型インフルエンザ等感染症を除く) |

| 眼科定点医療機関(全国約700カ所の眼科医療機関)が届出するもの |
| --- |
| 急性出血性結膜炎 |
| 流行性角結膜炎 |

| 性感染症定点医療機関(全国約1,000カ所の産婦人科等医療機関)が届出するもの |
| --- |
| 性器クラミジア感染症 |
| 性器ヘルペスウイルス感染症 |
| 尖圭コンジローマ |
| 淋菌感染症 |

| 基幹定点医療機関(全国約500カ所の病床数300以上の医療機関)が届出するもの |
| --- |
| 感染性胃腸炎(病原体がロタウイルスであるものに限る) |
| クラミジア肺炎(オウム病を除く) |
| 細菌性髄膜炎(髄膜炎菌、肺炎球菌、インフルエンザ菌を原因として同定された場合を除く) |
| マイコプラズマ肺炎 |
| 無菌性髄膜炎 |
| ペニシリン耐性肺炎球菌感染症 |
| メチシリン耐性黄色ブドウ球菌感染症 |
| 薬剤耐性緑膿菌感染症 |

| 疑似症定点医療機関(全国約700カ所の集中治療を行う医療機関等)が届出するもの |
| --- |
| 法第14条第1項に規定する厚生労働省令で定める疑似症 |

厚生労働省ホームページより

## [参考資料]

### ■書籍

荒島康友著『ペット溺愛が生む病気』(講談社ブルーバックス)

池上彰、増田ユリヤ著『感染症対人類の世界史』(ポプラ新書)

石弘之著『感染症の世界史』(角川ソフィア文庫)

岡田晴恵著、きしらまゆこ絵『おしえて! インフルエンザのひみつ』(ポプラ社)

岡田晴恵監修、いとうみつるイラスト『感染症キャラクター図鑑』(日本図書センター)

岡田晴恵著『人類VS感染症』(岩波ジュニア文庫)

岡田晴恵著『どうする!? 新型コロナ』(岩波ブックレット)

岡部信彦著『かぜとインフルエンザ』(少年写真新聞社)

河岡義裕、今井正樹監修
『猛威をふるう「ウイルス・感染症」にどう立ち向かうのか』(ミネルヴァ書房)

北里英郎、原知矢、中村正樹著『ウイルス・細菌の図鑑』(技術評論社)

北元憲利著『のぞいてみようウイルス・細菌・真菌図鑑1
小さくてふしぎな ウイルスのひみつ』(ミネルヴァ書房)

北元憲利著『のぞいてみようウイルス・細菌・真菌図鑑2
善玉も悪玉もいる 細菌のはたらき』(ミネルヴァ書房)

北元憲利著『のぞいてみようウイルス・細菌・真菌図鑑3
キノコやカビのなかま 真菌のふしぎ』(ミネルヴァ書房)

斉藤勝司著、目黒寄生虫館監修『寄生虫の奇妙な世界』(誠文堂新光社)

左巻健男監修『身近にあふれる「微生物」が3時間でわかる本』(明日香出版社)

神野正史監修『感染症と世界史』(宝島社)

竹田美文監修『身近な感染症 こわい感染症』(日東書院本社)

竹田美文著『よみがえる感染症』(岩波書店)

田爪正氣、築地真実著『ウイルスの手帳』(研成社)

トニー・ハート著、中込治訳『恐怖の病原体図鑑』(西村書店)

中原英臣、佐川峻著『感染するとはどういうことか』(講談社ブルーバックス)

### ■論文

北本哲之「プリオン病ってどんなもの?」(『まなびの杜』2004年夏号 No.28)

田口文広、松山州徳「コロナウイルスの細胞侵入機構」(ウイルス 第59巻 第2号 2009)

### ■webページ

AMR臨床リファレンスセンター
エイチ・エー・ビー研究機構
NHK
MSDマニュアル
大塚製薬
岡山県
帯広畜産大学
小野薬品
神奈川県衛生研究所
環境省
近畿大学病院
原生動物園
厚生労働省
厚生労働省検疫所
国際連合広報センター
国立がん研究センターがん情報サービス
国立感染症研究所
国立感染症研究所感染症情報センター
佐賀新聞LiVE
シオノギ製薬
政府広報オンライン
全日本民医連
第一三共ヘルスケア
大幸薬品
中外製薬
腸内細菌学会
東京新聞
東京都感染症情報センター

東京都健康安全研究センター
東京都福祉保健局
東京都防災ホームページ
ドクターズファイル
日経BP NIKKEI STYLE
日本医師会
日本歯科医師会
日本小児科学会
日本WHO協会
日本BD
日本薬学会
日本臨床歯周病学会
農林水産省
バイエル薬品
はじめよう! やってみよう! 口腔ケア
BIKEN
久光製薬
広島県
富士フイルム インフルラボ
丸石製薬 感染対策コンシェルジュ
マルホ
三重県感染症情報センター
メディカルトリビューン
ヤクルト中央研究所
読売新聞社 ヨミドクター
ライオン
Leprosy.jp
ワークアップ

写真:shutterstock

新型コロナからインフルエンザまで
## 知ってふせごう! 身のまわりの感染症
### ①感染症ってなに?

2020年11月10日　初版第1刷発行

監 修 者　近藤慎太郎
編集協力　石川光則(株式会社ヒトリシャ)／長谷川敦
イラスト　田中斉
ブックデザイン　松橋徹デザイン事務所
編集担当　熊谷満
発 行 者　木内洋育
発 行 所　株式会社旬報社
〒162-0041 東京都新宿区早稲田鶴巻町544 中川ビル4F
TEL 03-5579-8973
FAX 03-5579-8975
http://www.junposha.com/
印 刷 所　シナノ印刷株式会社
製 本 所　株式会社ハッコー製本

## 監修者プロフィール

### 近藤慎太郎(こんどう・しんたろう)

1972年、東京生まれ。医学博士。北海道大学医学部、東京大学医学部医学系大学院卒。日赤医療センター、東京大学医学部付属病院、山王メディカルセンター、クリントエグゼクリニック院長などを経て、現在、近藤しんたろうクリニック院長。内科医としてこれまで多くの感染症を診察し、企業における感染対策にも従事している。市民に正しい医療情報と知識を持ってもらうために、講演やメディアを通じての啓蒙活動にも力を入れている。著書『ほんとは怖い健康診断のC・D判定』(日経BP)ほか多数。